Je danse avec le printemps

Charlotte Agell

Editions du Sorbier

*A ma famille,
spécialement à ma mère Margareta*

Loi 49-956 du 16 juillet 1949 sur les publications destinées à la jeunesse

© 1994, Charlotte Agell pour le texte et les illustrations
Publié pour la première fois par Tilbury House Publisher, 132 Water St.,
Gardiner, ME 04345, USA
sous le titre : *Mud makes me dance in the spring*
© 1995 Editions du Sorbier 51, rue Barrault 75013 Paris
pour la présente édition.
Tous droits de reproduction et d'adaptation
réservés pour tous pays.
ISBN 2-7320-3397-9
Imprimé en Belgique

La boue

J'aime sauter dans la boue.

La boue est partout
même sous ma balançoire.

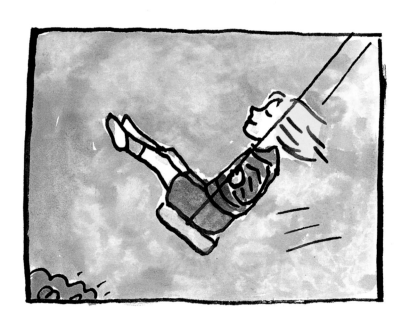

Je m'élance haut, toujours plus haut.
Je m'envole vers le ciel.

Quand maman me pousse,
je peux même m'envoler vers la lune.

Mon frère ne peut pas aller
sur la balançoire, il est trop petit.

On doit s'occuper de lui.

Il mange si souvent que maman
et papa n'ont plus le temps
de jouer avec moi.

Alors je vais bouder dans mon coin,

dans ma maison secrète.

Un oiseau vient vers moi.

Je reste immobile, sans faire de bruit,
mais il s'envole.

Reviens oiseau,
reviens oiseau !

Quelqu'un s'approche et me demande :
"Qui êtes-vous ?"

"Je suis la reine des fleurs.
Je n'ai ni père ni mère."

"Nous avons toujours voulu une fille",
dit alors papa.

Et je saute dans ses bras
pour l'embrasser.

Aujourd'hui maman me coupe
les cheveux.

Clac, clac, ils s'envolent au vent.

Je mange un esquimau.

Mon frère veut y goûter.

Je vais au jardin

semer des petits pois.

Notre voisin vient nous voir.

Il veut cueillir des pissenlits
et je vais l'aider.

Soudain, un oiseau s'envole
avec, dans son bec, une mèche
des cheveux que maman a coupés.

"Il va les déposer dans son nid",
dit papa.

Je suis la reine des oiseaux !

Mon frère lève aussi les bras.

Il est le roi des oiseaux !